KB244542

만다라
컬러링 100

만다라
컬러링 100

단순한 도안부터 섬세한 도안까지
집중과 이완을 도와주는 100가지 만다라 색칠하기

불광출판사

1.
왜 만다라 컬러링을 하나요

고대 인도어인 산스크리트로 '중심', '근원', '원'이라는 뜻의 만다라(maṇḍala)는 '성스러운 원'을 의미합니다. 고대 인도를 비롯한 여러 문화권에서는 만다라가 성스러움, 완전함, 일체, 그리고 우주를 상징한다고 생각했습니다. 또한 원이 끝없이 이어지는 것처럼 반복되는 패턴으로 이루어진 만다라는 삶의 지속성, 순환성을 나타내기도 합니다. 그래서 많은 문화권에서는 마음에 초점을 맞추는 명상 수행의 한 방법으로 만다라를 사용하기도 합니다. 대표적인 것이 티베트 스님들의 만다라 그리기입니다. 이 스님들은 모래로 만다라를 그렸다가 흩트려 버리는 것을 수행의 한 방법으로 삼기도 합니다.

그런데 왜 '만다라 컬러링'을 하라고 하는 걸까요? 컬러링 자체가 이런저런 장점이 있지만, 그중에서도 만다라 컬러링을 하면 그 효과가 더욱 커지기 때문입니다.

가장 널리 알려진 컬러링의 효과는 바로 스트레스 완화입니다. 컬러링은 두려움, 스트레스 반응과 관련되어 있는 뇌의 편도체를 진정시킵니다. 이런 작용이 스트레스와 불안감을 감소시켜 줍니다. 그래서 컬러링을 하면 스트레스 해소에 도움이 된다고 하는 거지요.

또한 컬러링은 좌뇌와 우뇌를 골고루 쓰는 정신 운동법이기도 합니다. 어느 곳을 어떤 색으로 칠할지 결정하는 과정은 좌뇌를, 색을 어떻게 배합해서 조화롭게 만들 것인지를 생각하는 과정은 우뇌를 자극하거든요. 그래서 컬러링을 하면 두 영역을 골고루 자극하여 흐트러진 균형을 잡아 주기도 합니다.

컬러링은 우리 마음을 긍정적으로 바꿔 줍니다. 컬러링을 할 때 오로지 색을 칠하는 데에만 집중하다 보면 다른 생각을 할 틈이 없습니다. 그래서 부정적인 생각을 하는 사고 패턴이 약화됩니다. 또한 컬러링은 우리가 매번 해야 하는, 여러 가지 조건을 모두 고려해야 하는 다른 선택들과 달리 단 하나, 색만 선택하면 되기 때문에 마음 편히 할 수 있는 활동이기도 합니다. 여기에는 마감 시간도 없고, 성공과 실패도 없기 때문에 마음 쫓겨 할 필요도 없습니다.

바로 이러한 이유 때문에 컬러링은 '명상의 대안'이라고 여겨집니다. 그중에서도 대칭을 이루는 도안에 색을 칠하는 만다라 컬러링은 그 효과가 더욱 큽니다. 사물이 아닌 추상적인 모양으로 이루어져 있기 때문에 더 자유롭게 채색할 수 있고, 그러다 보면 나도 모르는 사이에 스스로를 표현하게 되기 때문입니다. 그래서 만다라 컬러링은 미술 치료에 이용되기도 합니다. 만다라를 그리거나 채색하는 과정을 통해 나도 모르는 나를 발견하고, 이러한 과정을 통해 여러 정신적인 문제들이 완화되기 때문입니다.

2.
『만다라 컬러링 100』을
색칠하는 방법

'만다라'는 어느 면을 어떤 색으로 칠해도 상관없습니다. 꽃잎처럼 보이는 부분을 연두색으로 칠해도 되고, 물결처럼 보이는 부분을 붉은색으로 칠해도 됩니다. 한 칸 가득 색을 넣는 대신 직선이나 대각선만을 그려 넣어도 됩니다.

가장 쉽게 채색하는 방법은 대칭되는 부분은 같은 색으로 칠하는 겁니다. 우선, 한 칸을 어떤 색으로 칠할지 정해서 칠한 뒤, 그 칸과 대칭을 이루고 있는 부분은 모두 동일한 색으로 칠합니다. 이제 이 칸의 위나 옆 칸에 어느 색을 넣을지 정하면 됩니다. 편안하고 부드러운 느낌을 주도록 칠하고 싶다면 비슷한 계열의 색으로, 강렬한 느낌을 주고 싶다면 다른 계열의 색을 사용하세요. 이렇게 한 칸, 한 칸 차근차근 채우다 보면 어느새 한 장의 그림이 완성되어 있을 겁니다.

하지만 모든 칸을 다 색으로 채워야 한다는 부담감을 가질 필요는 없습니다. 색을 채우지 않은 칸은 이미 흰색으로 채워져 있으니까요.

3.
『만다라 컬러링 100』
채색 도구와 그 특징

『만다라 컬러링 100』은 초보자를 위한 단순한 도안부터 숙련자를 위한 세밀한 도안까지 여러 수준의 도안 100가지가 실려 있습니다. 단순한 도안의 넓은 면을 채색할 때는 약간 뭉뚝한 도구를 사용해도 괜찮지만, 세밀한 도안이나 좁은 면을 칠할 때는 색연필이나 중성펜, 심이 얇은 라이너 류의 마커 등 가는 선을 그을 수 있는 도구를 사용하는 것이 좋습니다.

색연필

색연필은 채색을 할 때 가장 흔히 사용하는 도구입니다. 색의 종류가 다양한 데다 구하기도 쉽고, 아이들도 손쉽게 쓸 수 있다는 장점이 있지요. 색연필은 성질에 따라 유성 색연필과 수성 색연필로 나눌 수 있는데, 각각의 특성이 약간 다릅니다.

유성 색연필은 수성 색연필보다 색이 강하고 화려합니다. 오일 성분이 있기 때문에 물에 녹지 않아서 유성 색연필로 간단하게 채색한 뒤 수채 물감이나 마커로 덧칠해도 선이 그대로 보입니다. 대신 유성 색연필은 오일에 녹는다는 특징이 있습니다. 면봉이나 스펀지에 베이비 오일이나 바디 오일 같은 오일 성분이 들어 있는 제품을 "살짝" 묻혀 유성 색연필로 채색한 부분을 문지르면 파스텔을 사용한 것과 비슷한 느낌을 낼 수 있습니다.

수성 색연필은 유성 색연필보다 색이 연하고 부드럽습니다. 유성 색연필과 달리 물에 녹는 성질이 있기 때문에 물을 묻힌 붓으로 덧칠을 하면 수채 물감을 사용한 것 같은 효과를 얻을 수 있습니다. 이런 특징을 이용하여 서로 다른 색을 경계선 없이 자연스럽게 섞을 수도 있고, 색연필을 얼마나 칠했는지에 따라 진하기를 조절하는 등 다양한 효과를 만들 수 있습니다. 하지만 물을 너무 많이 묻히면 종이가 울기 때문에 물의 양을 잘 조절해야 합니다.

오일이나 물을 사용하지 않아도 색연필을 사용할 때 손에 들이는 힘의 세기를 조절하거나 선을 긋는 방향을 달리하는 것만으로도 여러 가지 효과를 낼 수 있습니다. 손에 힘을 주면 진하게, 손에 힘을 빼면 연하게 채색되기 때문에 그러데이션을 넣기 좋습니다. 채색한 부분에 다른 색의 색연필을 덧칠해서 또 다른 색을 표현할 수도 있지요.

중성펜

중성펜은 중고등학생들이 많이 사용하는 필기구 중 하나입니다. 꾹 눌러서 사용해야 하는 유성펜, 그리고 물이 닿으면 잘 번지는 수성펜의 단점을 보완한 필기구로 물이 묻어도 잘 번지지 않고 사용감이 부드럽습니다. 검은색, 파랑색, 빨강색 같은 원색뿐만 아니라 파스텔 톤 색상의 펜, 펄감이 있는 펜 등 질감과 색상이 다양하여 색다른 느낌을 주기도 합니다. 특히 심의 굵기가 아주 가늘어서 좁은 부분을 칠할 때 쓰거나 채색한 부분에 이런저런 무늬를 그려 넣어 장식할 때 쓰면 좋습니다.

마커

펠트로 만든 팁을 사용한 펜입니다. 심의 굵기가 아주 얇은 것부터 두꺼운 것까지 여러 종류가 있어서 용도에 맞게 쓸 수 있습니다. 마커는 색상이 다양한 데다 한 번만 칠해도 선명하게 발색되기 때문에 사람들이 많이 사용하는 도구입니다. 하지만 지우개로 어느 정도 수정할 수 있는 색연필과 달리 마커는 수정할 수 없는 데다 여러 번 덧칠하면 잉크 때문에 종이가 일어날 수도 있기 때문에 조심해서 사용해야 합니다. 또한 마커에 따라서는 종이 뒷면까지 잉크가 배어날 수 있으므로 주의해야 합니다.

Mandala Colouring

만다라
컬러링 100

단순한 도안부터 섬세한 도안까지
집중과 이완을 도와주는 100가지 만다라 색칠하기

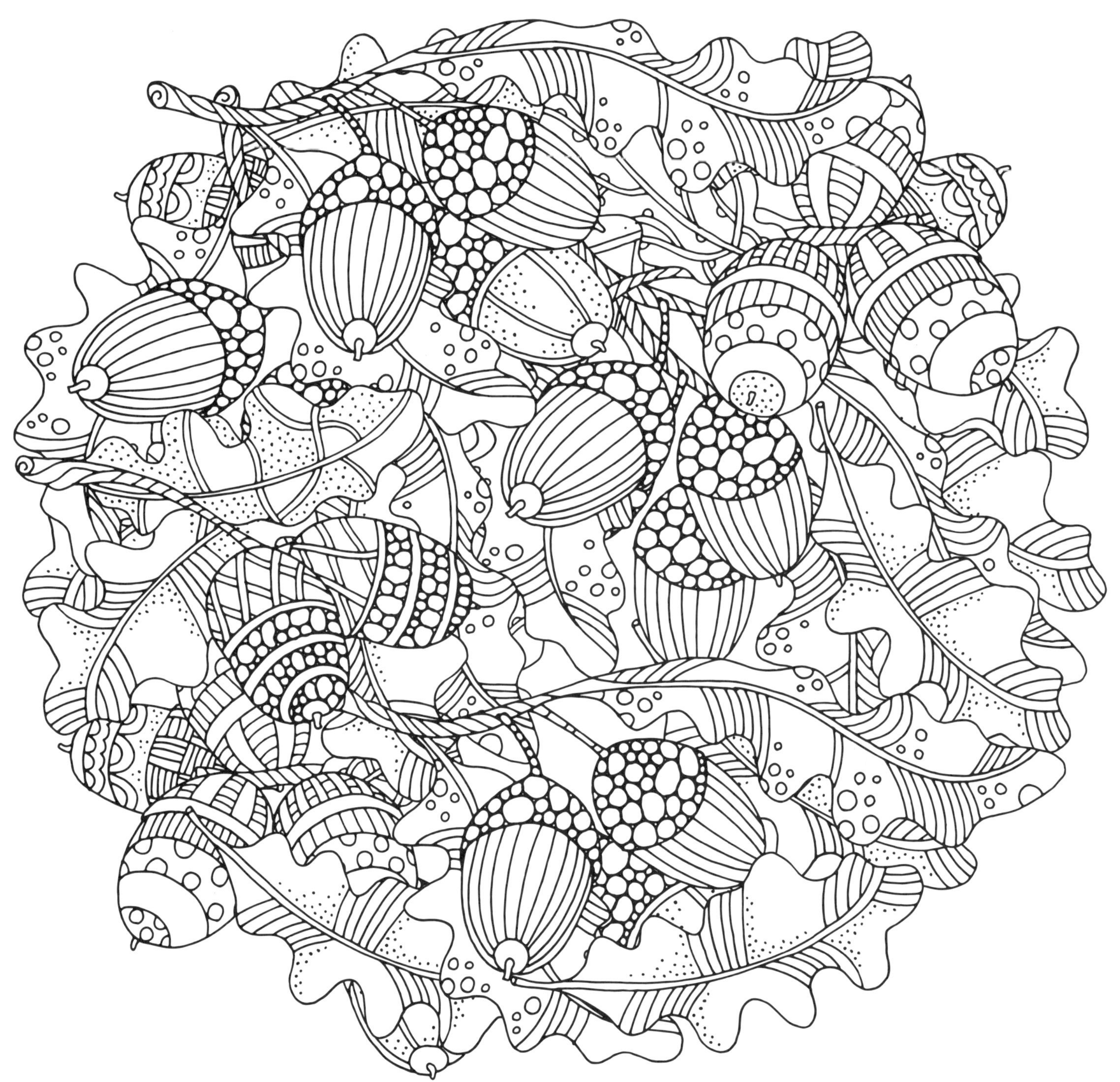

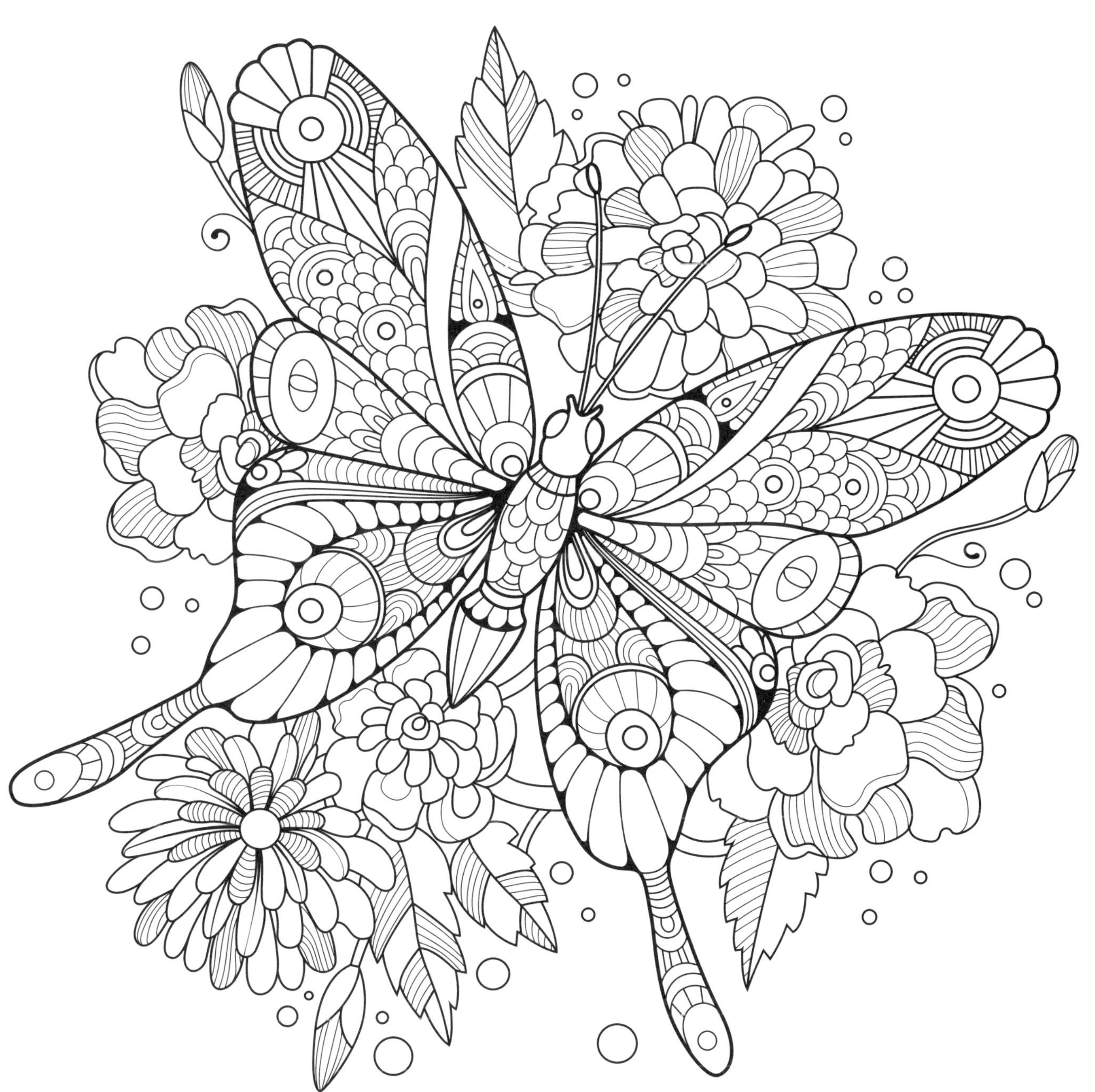

만다라
컬러링 **100**

2018년 1월 26일 초판 1쇄 발행
2025년 9월 10일 초판 13쇄 발행

발행인 박상근(至弘) • 편집인 류지호 • 편집이사 양동민
책임편집 김소영 • 편집 김재호, 양민호, 최호승, 정유리, 이란희, 이진우 • 디자인 쿠담디자인
제작 김명환 • 마케팅 김대현, 김대우, 이선호, 류지수 • 관리 윤정안
콘텐츠국 유권준, 김희준
펴낸 곳 불광출판사 (03169) 서울시 종로구 사직로10길 17 인왕빌딩 301호
　　　　 대표전화 02) 420-3200 편집부 02) 420-3300 팩시밀리 02) 420-3400
　　　　 출판등록 제300-2009-130호(1979. 10. 10.)

ISBN 978-89-7479-384-5 (13650)

값 14,000원

잘못된 책은 구입하신 서점에서 바꾸어 드립니다.
독자의 의견을 기다립니다. www.bulkwang.co.kr
불광출판사는 (주)불광미디어의 단행본 브랜드입니다.